KB096241

저자소개
작가, 사상가

저서: 시와 수필 및 평론집, 기타 논서, 통산 52
권째 저술, 산정(山頂)에 피는 꽃, 소설-대화선
(對話船) 1-7, 토말(土末) 기행, 회색의 문, 바
다의 강, 지붕 위의 수탉, 중간자(中間者), 수필
및 기타-토말록(土末錄) 1-9, 〈저서 목록: 부
록 참조〉

산정(山頂)에 피는 꽃
발 행 2024년 5월 8일
저 자 박찬우
펴낸곳 주식회사 부크크
주   소   서울특별시 금천구 가산디지털1로 119 SK 트윈타
워 A동 305-7호
E-mail info@bookk.co.kr
ISBN 979-11-410-8408-0 (발급 ISBN)
www.bookk.co.kr

산정(山頂)에 피는 꽃

-소설로 본 명상 이야기-

박찬우

목차

목차

머리말

　언젠가부터 나이를 기준으로 생각하는 버릇이 생겨났다. 옛사람의 기준으로 보면 지금의 내 나이는 평균수명을 넘어 장수하는 나이이다. 어떤 이유로든 오늘도 살아있음에 감사함이 더 지극해진다.

　이곳 목포 북항은 배가 들어올 때 무척이나 분주하다. 저마다 잡아 온 해산물을 분배하기 바쁜 모양이다. 반면에 저녁에 떠나는 배는 기도하는 마음으로 출항하기에 고요함과 정적이 흐른다. 나 역시, 이제 후자의 모습에 더 가까운 생이다. 매일 마음속에 떠오르는 생각들을 사색 옷 입혀 글로 적어 본다.

　　　2024년 어느 봄날 목포 북항에서

화사한 봄, 온 산하에 붉고 눈부신 진달래꽃들이, 이곳 산정(山頂)에는 사방에 가득하다. 그 꽃을 바라보는 마음에도 꽃물이 붉게 물들고 있었다.

산정(山頂)에 피는 꽃

  소녀는 산정에서 피어나는 꽃이었다. 이렇게 비바람 가릴 곳 없는 높은 산정에 핀 꽃이라도, 그 꽃향기로 마음속 여백을 가득 채울 수 있었다. 그 꽃은 하늘과 맞닿은 가장 가까운 곳에서 피는 사람 꽃이기 때문이었다.

그리움

누군가는 보이지 않는 마음속 신념의 대상을 그리워하면서 목숨마저 던진다. 그런데 살아있는 사람을 연모하면서 그리워한다면, 이는 얼마나 애타는 마음이 더할 것인가? 이 또한, 가벼운 사안이 아님이 분명하다.

그런 의미를 아는 소녀는 많은 사람이 모여있는 도시를 떠나, 이곳 사람 드문 자연에서의 낯선 곳에 대한, 두려움에 떨고 있는 소년의 마음에 위로와 용기를 주고 있었다.

벽

오랜 세월 서로 다른 곳에 사는 소녀와 소년은, 사람들이 만들어 놓은 인위적인 벽에 막혀, 오랫동안을 서로 소통하지 못하면서 세월을 보내고 있었다. 그러나 그 벽은 이제 뛰어넘을 수 있는 벽이었다.

사실, 사방을 막고 있는 턱 막히는 벽은 바람과 비와 햇살을 막아주는 벽이었지, 사람의 마음의 오고 가는 것을 막은 벽은 아니었다.

소녀와 소년은 서로 마음으로 소통하기에, 그 벽은 더는 벽이 아니었다. 그냥 자연이었다. 그 벽은 오랜 세월 풍상에 허물어지며 자연스러운 모습의 대지가 되어있었다.

사계절과 봄날

소녀는 산 아랫마을의 일상의 분주함에서 벗어나, 산 정상의 토굴집에 살지만, 마음은 여유로움아 가득하였다. 그런 소녀의 마음은 언제나 따뜻한 봄날이었다. 그러기에 계절과 무관하게 봄은 항상 소녀 곁에 있었다. 아무리 뜨거운 여름날 햇볕이 온 사방에 가득하여, 온갖 작물을 생산하도록 독려하여도, 소녀는 몸 가릴 수 있는 정도의 그늘과 마음을 말릴 햇살과 바람만을 필요로 하였다.

바람꽃

  이곳 산정마을에도 겨울의 매서운 바람은 흰 천 둘려 매고, 저 먼 북쪽으로 달아나고, 이제 날씨는 가장자리에만 차가운 자리가 남아있는, 따뜻함이 느껴지는 사월이 되었다. 산 아래 들녘에도 산들바람은 모두에게 다가와 속삭이고 있었다. 오늘도 소녀는 그 바람 속에 마음 살짝 얹히면서 사색 바람꽃을 피우고 있었다.

주작(朱雀)산정에는 붉은 진달래가 하늘 향해 펼친 가지를 접지 않고, 온갖 모양의 바위틈 사이 몸을 숨긴 체, 추운 긴 겨울을 어렵게 이겨내고 있었다. 그리고 이제 봄이 돌아와 진달래는 붉은 꽃을 피워내고 있었다. 소녀 또한, 지상의 온갖 장애물로 외롭고 힘든 시간을 보냈지만, 그래도 초심을 움츠리지 않고 마음의 꽃을 활짝 피우고 있었다. 소녀는 진달래와 닮은 마음 꽃을 산정의 하늘을 향해 활짝 피우고 있었다.

진달래꽃은 단단한 바위틈 사이 사이로 뿌리를 내린 체, 구김 없는 얼굴 활짝 피우고, 소녀를 반겨 맞이하고 있었다. 진한 먹구름 사이를 뚫고 내려온 햇살과 미동도 없이 졸던 텃새 바람도, 산정에 서 있는 소녀 곁으로 다가오고 있었다. 밤새 바다를 건너온 서풍 또한, 소녀의 사색 친구가 되어주고 있었다. 소녀는 이처럼 날마다 자연과 대화하고 있었다. 가녀린 모습의 소녀의 마음은 자연과 하나 되어 숨통을 열고 있었다.

소녀는 산 정상 양지바른 바위에 앉아 생각에 잠기고 있었다. 주작산 옆 능선 따라 두륜산이 있었다. 이산은 마을 뒷산이라고는 하지만, 바다와 맞닿은 남도의 끝에 해당하기에 제법 산세가 깊고 높아 보였다. 하늘과 산과 바다가 만나는 이곳은 수많은 움직이는 생명이 살아가는 곳이었다.

　다만, 날개가 있든 없든 모두가 땅에 집착하니 대지를 바탕으로 사는 생명이었다. 그래도 하늘이 자기 영역이라고 생각하는 나무는 하늘을 영토 삼아, 그곳에서 자리 잡고 있었다. 그리고 하늘 향한 가지를 좀처럼 대지로 내리지 않고 있었다. 나무는 그대로 하늘 식물이었다.

소녀는 틈나는 대로 정상의 큰 바위 아래에 자주 앉아, 머리 위의 하늘을 벗 삼아 바다를 바라보고 있었다. 사람들은 어린 소녀가 무슨 도를 그리 열심히 닦고 있느냐며 농담 반 진담 반, 말을 하곤 하였다. 지금은 오직 소녀의 가구만 남아있는 산정마을이었지만, 소녀의 마을은 주작산 아래의 운전리라는 이름의 마을답게 제법 여러 가구가 과거에는 살고 있었다. 운전(雲田)리란 이름은 구름밭이라는 뜻이었다.

이곳은 운전이란 말처럼 철학적인 의미를 마을 이름으로 불리는 그만큼, 독서와 풍류를 즐기는 사람들이 오래전부터 터 잡고 살아오고 있었다. 산 아래 사람들은 이곳의 사람들을 도인들이라고 불렀다. 성인의 남자들은 머리를 짧게 자르지 않고, 상투를 트는 모습에다 한복을 입고 있었기 때문이었다.

소녀는 어린 시절부터 이런 모습에 익숙하다 보니, 이렇게 잠시 양지바른 바위에 앉아 좌정하면서, 저 멀리 강진만의 바다를 바라보고, 마음을 수련하는 행위가 낯설지 않았다. 비록, 보리수나무 밑은 아니라도, 산 정상의 바위 위에 가부좌로 앉는 몸이 바위가 되어 간다면, 마음은 하늘 향한 사색 바위가 되어, 자연 기운 가득 교감할 수 있었다.

나무 열매

소녀는 산 아래에 있는 학교에 다니기 위해, 산길을 오가곤 하였다. 몇몇 친구들과 그 산길을 동행하고 하였지만, 가끔은 친구들은 집안일을 돕고자 학교에 가는 일을 빠지는 경우가 있었다. 그러나 소녀는 학교를 결석한 적이 없었다. 일단 한번 마음으로 정한 일이라면, 몸은 마을을 무조건 따라야 하는 것이, 소녀의 부친의 일종의 가훈에 가까운 규범이었다.

학교를 오가는 숲속의 길에는 언제나처럼 나무들이 동행하고 있었다. 소녀는 하늘을 향해 무언가 힘을 받고자 양팔을 벌리고 있는 나무처럼, 양팔을 넓게 벌리면서 하늘을 바라보고, 나무와 꿈을 함께 나누었다.

한참을 내려가다 보면 이윽고 산길이 끝나고, 들판이 넓게 펼쳐지고 있었다. 본래 이곳은 강진만이 시작되는 곳이어서, 탐진강과 바다가 만나 넓은 갯벌을 이루고 있는 곳이었다. 산 위에서 내려오는 싱거운 바람과 바다 내음 가득한 짠바람이 소녀의 양 볼을 어루만지고 있었다. 그러나 어느 날부터인가 그 갯벌들은 하나씩 사라지고, 그곳에는 곡식들을 심을 수 있는 농지로 바뀌고 있었다.

세월이 흘러갈수록 갯벌은 점차 그 모습이 작아지고 사라져가고 있었다. 그에 따라 많은 바닷가의 생명도 그 모습을 감추고 있었다. 그런데 사람들 또한, 마을에서 모습을 하나둘 사라지고 없었다. 공유할 수 있는 갯벌은 사라지고 사유지인 농지만이 늘어가는 것과 무관하다고 할 수는 없는 모습이었다.

소녀는 들판 한가운데에서 빨간 옷을 입고, 이리 뛰고 저리 뛰는 소년을 볼 수가 있었다. 아마도 들판 한가운데 풀을 먹고 있는 황소를 보고, 그 소를 피해 논밭 사잇길을 이리저리 내달리고 있는 모습이었다. 저런 풍경은 이번이 처음이 아니었다. 마을 사람들은 다 아는 사실이었다.

 사실, 소년은 이곳에서 태어났으나, 아주 어린 시절에 부모를 따라 서울로 올라갔다가, 몸이 약해져서 다시 이곳 친척 집에 임시로 거주하고 있는 소년이었다. 소년이 머무는 집은 이 마을뿐만 아니라, 근동에 이름난 함양박씨의 양반가의 큰 집이었다. 어쩌면 이 근방의 마을은 이 집을 중심으로 움직이는 모습이었다고 해도 과언은 아니었다.

소년은 아주 어린 시절부터 신문 보는 습관을 조부로부터 배워 상당한 지식을 쌓고 있었다. 두 학기를 이곳 시골에서 공부할 예정으로 왔지만, 바로 반장을 맡아서 이곳 시골 학생들에게 틈나는 대로 많은 이야기를 해주고 있었다. 그런데 그런 관념적인 지식이 이곳 농촌에서 잘 소화되지 않는 부분이라면, 이처럼 소를 피해 다니는 소년의 모습이었다.

소녀는 밝은 미소를 지으면서 소년에게 한걸음에 달려갔었다. 그리고 소년의 손을 붙잡고 학교로 가는 지름길을 찾아, 소 옆을 지나 논길을 가로질러 학교로 향하곤 하였다. 사실, 소년은 스페인에서 투우 경기를 할 때, 투우사들이 붉은 천을 휘날리면서 소를 흥분시킨다는 점을 신문을 보고 알았었다. 그리고 소년의 옷은 공교롭게도 붉은색 계열의 옷이 많았었다. 그래서 이처럼 소를 피해 들판을 헤매고 있었던 것이었다.

많은 마을의 동년배 아이들은 모두가 깔깔거리
면서, 소년의 진땀빼는 모습을 바라보고 있었지
만, 오로지 소녀만이 그 진지한 소년의 마음을
이해하고 있었다. 그리고 얼른 소년에게 다가가
서, 그 소년의 손을 잡고 소가 있는 그곳을 피해
학교로 함께 갔었다.

학교를 파한 후 소녀와 소년은 황홀한 석양 노을
이, 온천지에 가득한 들길을 지나 산 아래의 길
을 걷고 있었다.

 그 황홀한 빛의 공연은 끝나고 어둠이 내리면,
어느새 하늘의 빛나는 별들이 나무 열매로 맺어
지고 있었다. 소녀와 소년은 헤어짐의 아쉬움을
뒤로하고 각자 집으로 향하였다.

사색 꽃과 소녀

　비록, 산정 생활은 여러 가지로 부족한 부분이 많아 힘들었다. 이런 현실이 소녀를 고단하고 힘들게 하여도, 산정마을 사람들은 물질에 연연하기보다는 사색하는 마음을 잃지 않고, 하늘과 나무와 별을 노래할 수 있었기에, 거칠고 투박한 바위투성이 산정 그 어느 곳이라도 꽃들이 만발하고 있었다. 소녀의 마음속에도 사색 꽃들이 만발하고 있었다.

산정마을에 사는 사색 소녀에게는 구름과 바람과 비와 태양과 달은 사색 기제로서 충분조건이었다. 그들은 언제나 소녀에게 가까이 다가와 친구가 되어주고 있었다. 소녀가 눈을 뜨고 있는 모든 시간에는 구름과 바람과 비와 태양과 달과 별이 있는 곳이었기에, 소녀가 있는 곳 그 어디서라도 사색은 가능하였다.

우리가 무언가 수련과 수행을 하고자 어떠한 곳을 찾아가더라도, 깊은 산속에 그 시설들이 있는 것, 그 자체로 이미 수행과 수련은 시작되고 있다는 점을 알 수가 있었다. 이처럼 자연과 하나가 되어 호흡하는 소녀는 언제나처럼, 자연을 닮은 맑은 미소와 함께하는 소녀이었다.

민초(民草)

　소녀의 선조들은 과거 왕정 시절에 난(亂)을 피해, 이곳 주작산 정상에 가까운 마을까지 들어와 대대로 살아오고 있었다. 그리고 소녀의 선조들은 마음속에 쌓인 감정들을 도자기를 통해 예술로 승화하였다.

아직도 이곳 마을 주변의 흙을 파보면 폐허로 변한 가마터가 발굴되곤 하였다. 그 가마터 옆에는 부서진 청자 조각들이 가득한 구덩이가 발굴되곤 하였다. 아마도 최고의 작품을 원하는 도공들이 부족한 모습의 도기들은 깨어버리는 곳이었다. 이제 그곳에는 이름 모를 잡초만이 무성히 자라나고 있었다. 소녀와 소녀의 가족에게 잡초는 이상향을 꿈꾸는 민초(民草)이었다.

산 정상 부근이기에 사계절 내내, 억센 바람은 풀들을 잠시도 가만히 두지 않았다. 풀들은 잠시도 안주할 수는 없어도 절대 꺾임이 없이 그곳을 지키고 있었다. 그래서 산정에는 유독 풀들에 억새가 많았다. 억새는 산정에 비 내리고 햇살만 비추어준다면, 바람은 장애가 아니라 오히려 희망의 바람이 되었다.

존재와 꽃

  소녀는 언제나 맑은 미소로 동년의 소녀 소년들에게 희망의 꽃이었다. 세월이 지나 이를 현학적으로 표현한다면, 소녀는 철저하게 실존적인 존재 임을 잊지 않고, 이런 각성을 통해 이성적인 생을 유지하고자 하는, 매일 피어나는 산정(山頂)의 꽃 같은 소녀라 말할 수 있었다.

소녀의 작은 가슴은 잠자리가 허공을 맴돌면서 일으키는 바람에도, 지금 숨 쉬고 있는 호흡을 통해 자연 바람을 느끼고 있었다. 소녀는 오늘 살아있는 것만으로도 행복함을 느낄 수 있었다. 소녀의 맑은 마음은 굳이, 본능을 기반으로 한 몸의 희로애락에 빠질 이유가 없었다. 오직 관심이 있다면 세끼 밥과 공깃돌 다섯 개만 있다면 만족하고 있었다.

소녀는 산속 높은 곳에 살기에 비록, 땅에 발을 디디고 살아도, 하늘 향해 두 팔 벌리면서 꿈을 펼치고자 하였다. 이는 누구보다 하늘 가까이에서 살기에, 나무와 같이 자연스러운 꿈을 펼칠 수 있었다. 소녀는 넓고 깊은 창공의 맑은 공기를 다른 사람의 손이 닿기 전에, 가장 먼저 하늘 가까이에서 자연의 힘을 받을 수 있었다. 이런 청정한 기운은 사람들에게 의지하면서 얻어지는 기운이 아니었다. 그 기운은 사람에게서 벗어나 스스로 마음 독립(獨立)하여 얻어지는 기운이었다.

오래된 수로(水路)

  산속의 물길은 인공적으로 만든 수로가 아니기에, 비와 바람의 영향에 따라 물길이 자주 변하곤 하였다. 소녀는 비록 흔적만 남은 물길 끊어진 오래된 수로라도, 그냥 지나가지 않고 잠시 물이 흐르는 것을 상상하면서, 마른 수로를 힘껏 건너뛰면서 가로질러 건넜다.

이 모습을 본 한 무리의 소년들도 소녀를 따라 같은 행동을 하면서, 서로 한바탕 웃음소리를 껄껄거리면서 내곤 하였다. 이처럼 현상으로의 풍경이라도 마음과 동행한다면, 푸른 물길이 가득한 여울이 되었다.

비록, 산정마을에서 산 아래 학교 가는 길은 제법 험한 산길을 지나가야 하였다. 이처럼 소녀가 다니는 통학길은 팍팍한 길이었지만, 소녀와 소년들의 마음속엔 항상 푸른 물결이 넘실대는 꿈을 지니고 있기에, 그들에게 산길과 마른 수로는 더 이상 마른 수로가 아닌 사시사철 맑은 물이 넘쳐나는 개울이었다.

푸른 솔잎

이곳 주작산은 토질은 화강암이 오랜 세월 풍화 작용에 물 빠짐이 좋은 마사(磨沙)라는 모래흙과 작은 암석이 많은 곳이었다. 그래서 그런지 끈질긴 생명력을 자랑하는 토종의 소나무가 용트림하듯 모습을 곳곳에서 자랑하고 있었다. 그런 소나무의 솔잎은 욕심내지 않은 절제된 모습이었기에, 그 어떠한 바람도 막지 않고 통과 시켜주고 있었다.

그런 소나무 숲속 사이를 통과하는 바람은 여름에도 시린 듯한 바람이 되어, 솔잎의 성성한 그물을 지나 소녀의 얇은 옷을 뚫고 들어오고 있었다.

소녀는 몸을 양팔로 감싸면서 빠른 걸음으로 집으로 향하고 있었다. 이처럼 소나무는 여름의 시원한 바람뿐만 아니라, 겨울의 북풍이나 한설(寒雪)도 붙잡지 않고, 그냥 통과 시키는 재주가 있었다.

아마도 그런 한결같은 마음의 솔잎이기에, 철따라 변하지 않는 푸르름을 지니고 있었다.

또한, 이곳 산정에는 이론 봄에는 바위 틈틈이 터전을 마련한 붉은 진달래꽃이 온산을 감싸고 있었다. 봄날이 되면 만개한 진달래꽃은, 온 산에 융단을 깔아 놓은 듯이 푹신한 비단 이불을 깔고, 온갖 모양의 딱딱한 표정의 바위와 항상 절제된 모습의 사색 소녀를 유혹하고 있었다.

중간지대

소녀는 산 중턱 아래 오래되어 무성한 대나무숲을 지나면서, 양쪽 대밭의 사잇길을 걷곤 하였다. 대나무의 번식력은 세상 어떤 나무보다 왕성한 모습이었다. 소녀는 가끔, 속 빈 대나무가 속과는 다르게 자손의 욕심은 많아 이렇게 자손을 번식할 줄은 꿈에도 모르는 일이라는 생각이 들었다.

이 길은 강진군 신전면과 해남 땅끝마을의 북일면으로 내려가는 대나무 숲길이었다. 사실상 군계 지역이었지만, 대나무라는 자연 앞에 인간의 행정상 경계가 무색한 모습이었다.

몸집에 비해 너무 크게 자란 대나무는 군데군데 대각선의 모양을 한 체 사방에 쓰러져 있었다. 이를 보고 소녀는 사색에 잠시 잠기곤 하였다. 대나무는 겉은 무척이나 단단하였지만, 속은 텅 빈 모습이었다.

　그런데도 하늘을 향해 한마디 그리고 또, 한마디 매듭지으면서 쉼 없이 올라가고 있었다. 그러다 보니 상당수의 대나무는 강한 바람에 옆으로 쓰러진 모습도 쾌 보이고 있었다.

　수직적인 모습으로 선 대나무와 대각선으로 쓰러진 대나무의 모습을 통해, 소녀는 마음속에 여러 생각이 떠오르고 있었다. 왜 인간은 작은 키임에도 불구하고, 인간끼리 의지하면서 살아야 하는지 생각하게 만들고 있었다. 이런 대각선 구도 속에 정중앙에 있다면, 중간지대에서 균형을 이루어 중간자의 상태를 잘 유지 할 수 있겠다는 생각이 들었다.

그런 소녀의 마음을 별들과 꽃들이 알았는지, 그들은 조심스레 소녀와 동행하고 있었다. 그들은 대나무숲의 어두운 공간 속에서, 한 줄기 빛과 안내자로 존재하는 느낌이었다. 소녀는 그 대나무 숲을 거닐면서 빛은 하늘 위에 있는 것이 아니라, 틈이 있는 공간에 있다는 생각이 들었었다.

　비록, 속은 비우고 한 마디씩 하늘을 향하고 있는 대나무이지만, 사방이 꽉 막힌 속은 한 점 빛줄기가 들어오지 않기에, 그래도 좌절하지 않고 매번 마디마다 작은 가지를 뻗어내면서, 숨통을 열어 보려는 대나무의 마음을 소녀는 이해할 것만 같았다.

철 따라 피는 꽃

　이곳 주작(朱雀)산 근방의 대부분 마을 여인은 굳이, 얼굴화장을 하지 않아도 화장을 한 것과 같았다. 특히, 이곳은 사시사철 꽃들이 피어나는 곳이기도 하였다. 특히, 봄에는 옷도 울긋불긋한 옷을 입지 않아도 되었다. 주작산은 봄이면 온산에 붉은 진달래꽃을 피워내, 마을 여인들의 마음에 형형색색의 옷을 입혀주고 있었기 때문이었다.

겨울에는 하얀 꽃들과 동백의 붉은 꽃봉오리가 온천지에 피어나고, 봄에는 온갖 꽃들이 화려한 색으로 자신의 자태를 뽐내고 있었기 때문이었다.

가을이 되면 푸르던 잎과 가지에 매달린 열매들이 단풍 옷으로 곱게 단장하고 있었다. 나뭇잎은 이제 자기 자신만을 위해 분단장을 마치고, 꽃처럼 아름답고 가냘픈 날개를 펴고 있었다. 물론, 이런 단풍의 모습들은 후손을 위해 자신의 활동을 멈추고자 하는 행위이었다.

이런 풍경에 마음속이 붉게 물든 이곳 여인들은, 곱게 물든 옷은 입고 화려한 날개를 펼치고 있었다. 소녀 역시, 사계절 꽃바람에 허공 속에서 마음껏 춤을 추다가, 이제 집으로 돌아가기 위해 대지를 향하고 있었다.

사실, 나뭇잎에 단풍이 든다는 점은 나무가 스스로 자기의 욕심을 줄이는 것으로, 자기가 입고 있던 옷을 벗는 행위의 시작점이었다. 그러기에 나무는 수분과 영양분을 더는 필요하지 않았다. 단식은 시작되고, 그런 나뭇잎은 타는 목마름으로 겨울을 이겨내고 있었다.

인간들은 어려운 시기를 대비해서 욕심껏 물질을 모으고자 하였다. 반면, 난장에서 겨울을 보내는 나무는 오히려, 그 욕심을 버려야 혹한의 겨울을 견디고 이겨낼 수가 있음을 말하고 있었다.

나뭇잎은 이곳 세상의 무대에서 화려한 옷을 입고 춤을 추던 시절을 뒤로하고, 이제, 대지와 같은 색의 수의를 입고, 긴 기다림의 집으로 달려갈 준비를 하고 있었다. 이런 모습의 과정을 보고 여인들은 굳이, 화장하고 화려한 옷을 입고 벗고 하지 않아도, 나무가 그녀들의 일을 대신해 주고 있었다.

그런　나뭇잎을　위로하듯이　여인들은　동네　우물
가에서　물을　항아리에　담고,　그　한가운데에　노란
단풍잎을　하나씩　안고　집으로　향하고　있었다.
　이제　이곳　산정마을의　나뭇잎도　황혼　길목에　접
어드는　시간이　다가왔다.　단풍이　물들었던　나뭇
잎은　시간이　지남에　따라,　진한　고독의　색깔만
무겁게　내려　앉아있었다.

　소녀의　맑고　청순한　모습을　흠모하던,　나뭇잎은
붉고　노란　원색의　정열을　내려놓고,　바싹　말라
가벼워진　몸으로　회오리바람의　힘을　빌려,　소녀
의　몸을　한　바퀴　돌면서　드높은　창공으로　날아
올라가고　있었다.
　나뭇잎은　좌우　가까이는　두륜산과　덕룡산이　그
리고　남쪽으로는　운무　가득한　강진만　바다에　안
녕을　고하고　있었다.　그리고　소녀와　한바탕　마지
막　춤을　춘　후,　조용히　대지의　한구석에　잠자리
를　청할　준비를　하고　있었다.

낙엽과 바람

가을이 아직 다가오지 않았는데도 일찍 생명 다한, 낙엽이 바람에 나뒹구는 모습을 소녀는 보면서 상념에 젖어 들었다. 그래도 낙엽은 바람결에 바스락거림으로 아직 살아있음을 보여주고 있었다. 그런 낙엽의 움직이는 소리에 귀 기울이다 보면, 낙엽은 살아있음을 소녀는 자기의 호흡의 숨결 속에 느낄 수 있었다.

소녀는 깊은 사색 속에서 나름의 생각을 정리하고 있었다. 그런 소녀의 모습은 하던 일을 멈추고, 마치 넋 나간 모습으로 한동안 멍하니 앉아 있는 모습이었다. 얼마 전까지 마을에서 한 때 서당 훈장 선생님을 하던 소녀의 부친은 소녀의 그런 모습을 이해하고 있었다. 그래서 소녀의 사색하는 순간 발걸음도 조심스럽게 걷곤 하였다.

몸은 현실 속에 있으나 마음은 대 우주를 향해 하고 있는 딸의 모습에, 안전하게 여행하다 귀가 하기를 바라는 마음이었다. 소녀는 깊은 사색 끝에, 낙엽은 생을 접는 마지막 단계의 개념보단, 자연의 순환 이치의 시작점이라는 점을 알게 되었다. 그런 낙엽의 의미는 현상과 이치를 중의적으로 함의하고 있었다.

낙엽은 다시 새로운 잎을 꿈꾸면서, 그 잎과 하나가 되는 여정을 시작하기 위해, 우선은 땅속 깊이 스며드는 마른 잎새가 되어야 했었다. 이를 유심히 그리고 깊게 바라보던 소녀는 우리 내 생 또한, 나뭇잎과 같기에, 사색 가득한 마음으로 그 낙엽 바라보았다.

그리고 그 마음 고스란히 시심에 담아 사색 깊은 시를 쓸 수가 있었다. 물론, 땅속으로 잠을 청해 들어간 그 낙엽은, 이듬해 나뭇가지에 옴 트는 새싹 그 자체는 분명 아니었다. 그 모양과 성분은 빼닮은 모습이지만 그것 이상도 그 이하도 아니었다.

나뭇잎은 살아있는 동안, 생의 현장에서 열심히 열매 맺고자, 치열하게 살아가는 나무를 뒷바라지하고 있었다. 나뭇잎은 가냘픈 몸으로 최선을 다하다가, 에너지가 소진되어 힘없이 대지로 떨어지니, 그 나뭇잎은 낙엽으로 표현하고 있었다. 매달려있는 것은 나무의 가지도 마찬가지이었지만, 나뭇잎만 떨어지면서 낙엽이 된 모습이었다.

바람과 호흡

소녀는 자기의 시선을 몸 떠나 멀리 두지 않고, 호흡을 마음으로 인식함을 통해, 사색 바람이 마음 곁으로 다가옴을 느꼈다. 그리고 그 바람 속에 산 아래 동네 마을에 거주하는 소년의 호흡도 느낄 수가 있었다. 이것이 이심전심(以心傳心)이라면, 이런 느낌으로 다가올 것이라는 생각이 들었다.

그리고 이런 바람을 마음 일깨우는 호흡으로 받아들일 수 있다면, 자연에서의 마음 호흡의 의미를 아는 사색인이라는 생각이 소녀는 들었다.

호흡은 자연의 바람이었다. 그 바람 사는 동안 항시 호흡하기에, 한순간도 바람의 흐름을 멈출수가 없었다. 더구나 긴장하면 더 많은 공기를 호흡하면서 몸속에 주입하여 태워야 하였다.

그런 형태도 없는 바람을 마음속으로 느낄 수 있는 사람이라면, 몸뿐만 아니라 마음속에도 한순간도, 고여있는 바람이 없이 잘 소통하기에, 새로운 생각이 계속 다가와, 사색을 잠시도 멈추지 않는 사람이라 말할 수 있었다.

소녀와 이성(理性)

봄 한가운데 있는 사월인데도 아직은 이곳 산정 마을은 아침저녁으로, 겨울 한가운데 냉기 흐르는 공기가 차갑게 피부에 와닿고 있었다. 그래도 소녀는 밖에 앉아 용기 있게, 그 하늘 올려 다보고 사색하는 마음 열고 있었다. 소녀는 이내 고개 들고 하늘을 바라보고 있었다. 그리고 넓고 푸른 하늘과 하나 되는, 냉철한 이성의 소유자가 되기를 마음속으로 원하고 있었다.

사색인(思索人)

*온갖 내음 가득한 바람을 몸으로 호흡하면서
도, 볼에 스치는 그 바람 마음으로 느낄 수 있다
면, 이는 사색 인이라 말할 수 있다.*

평상심(平常心)

소녀는 일상에서의 사색하는 마음을 항시 유지
하고 있었다. 이 말은 소녀의 마음속에 사색하는
마음이 항상 내재 되어 작동하고 있다고 볼 수
있었다. 이렇게 유지되고 있는 마음을 평상심이
라 할 수 있었다. 그런 마음속에서 소녀의 냉철
한 이성적 판단으로 현상 속 깊은 곳에 내재한
사물의 이치를 찾아가기에, 소녀는 자연과 하나
되어 평상심을 잃지 않고, 일상을 편안함 속에
살아갈 수 있었다.

자연과 노래

소녀의 부모 또한, 이런 산정에서의 안빈낙도하는 생활을 살아가기에, 자연 속에서 언제나 노래하듯 일상도 그렇게 살아가는 사람들이었다. 이런 생활 모습은 사색하는 마음의 눈길을 자연에서 잠시라도, 거두지 않는 사람들이라 말 할 수 있다.

꽃길

 이렇게 봄날이 돌아오면, 산정 소녀의 집 주변에는 온갖 화려한 꽃들이 양탄자처럼 뿌려진 모습이었다. 그 산길을 현상으로 보고 산책하는 길이라면, 그냥 아름다운 꽃길일 것이다. 그러나 그 꽃들을 사색의 기제로 삼아 마음속 길이 된다면, 그 마음속 길은 수많은 마음 꽃이 피어나는 사색의 길이라 말 할 수 있었다.

소녀는 항상 그런 마음으로 사색의 꽃길을 걷고 있었다. 그리고 산 아래 동네 마을 돌담 모퉁이 돌아 걸어갈 때마다, 소녀는 자기 자신도 모르게 가슴이 두근거림을 느낄 수가 있었다. 이런 감정은 누군가에게 자기의 속마음이 들키기 일보 직전의 감정이었음을 소녀는 알았다.

물론, 소녀는 부친의 심부름으로 박 영감 댁으로 책 몇 권을 빌리려 가는 중이었다. 물론, 소녀의 부친도 많은 책을 지니고 있었지만, 박 영감 댁은 근동에 소문난 장서가이었다. 지식이 풍부한 박 영감은 고향에 낙향하여 글을 쓰면서 지내고 있었다. 호가 야인(野人)이라는 의미가 예사롭지 않았다.

박 영감댁의 대문은 제법 격이 있는 모습으로 튼튼한 나무 대문이었다. 그리고 그 문은 쉽게 열릴 것 같지 않았다. 반면, 소녀의 집은 변변한 대문의 모습이 아니었다.

 제주도에서나 볼 법한 담과 담 사이 공간에 통나무 하나 걸쳐 놓은 모습이었다. 이런 모습의 대문은 유지하고자 함은, 소녀의 부친 생각에서 나온 것이었다.

 이는 대문에 대한 철학이기도 하였다. 대문은 출입을 막기 위함이 아니라, 출입을 자유롭게 하기 위함이라는 말이었다.

또한, 소녀의 부친은 대문에 대한 소신을 말하였다. "내 마음속에 가장 소중한 생각의 보물은 다 들어와 보관하고 있다. 그리고 몸 밖의 형태로 보이는 물건들은 하나같이 비싼 것이 없다. 그런데 누가 이곳까지 숨을 헐떡이면서 올라와 무엇을 가져가겠느냐."고 말하였다.

　설령, 처음에는 그런 마음을 가지고 산 집에 올라온다고 하더라도, 이렇게 산정까지 올라올 노력이라면, 열심히 일하면서 살아야겠다고 다짐하면서 돌아 내려간다고 하셨다.

　또한, 대문은 외부와의 소통의 공간이기에, 그 대문을 이처럼 자연스러운 모습의 공간으로 만들어, 그만큼 자연과 가까운 생을 살아가는 일종의 경책이라 말하였다.

이와 유사한 이야기로 소녀의 부친은 갈대의 모습을 통해, 여러 생각들을 소녀에게 가르치곤 하였다. "갈대의 모습을 통해 세상사에 있어 욕심 없는 마음이 생긴다면, 제대로 갈대를 알아보는 것이다."

"이는 허허로운 갈대의 형상과 모습을 통해, 마음속에 여백이 생기기 때문이다. 그래서 갈대는 사람의 사색하는 마음과 석양의 노을과 가장 잘 어울리는 생각하는 갈대라 말 할 수 있다." 소녀는 언제나처럼 부친을 존경하는 눈빛으로 쳐다보고 고개를 끄덕이고 있었다.

소년과 민들레꽃

 소년은 도시의 작은 틈새 공간만을 필요로 하였다. 그런 소년에게는 특별한 재주가 있었다. 그 재주는 도시 속에서 자연을 찾아내는 심미안이었다. 대부분 사람은 보도블록 작은 틈새로, 얼굴을 내미는 민들레꽃을 그냥 지나치고 있었다. 보아도 안 보이는 곳과 같은 민들레의 존재감은 지극히 작았기 때문이었다.

반면, 소년은 콘크리트만이 존재하는 도시의 대지, 그곳에서 커다란 자연의 힘을 찾아내고 있었다. 소년은 자연을 닮은 마음의 눈을 항시 작동하기 때문이었다.

그리고 도시의 인위적인 삭막한 풍경 속에서도, 자연 그대로의 의미가 담긴 서정성을 찾아내고 있었다. 그 서정성은 저 남도에 두고 온 소녀에 대한 그리운 마음이었다.

소년은 그 민들레꽃을 마음속 깊은 여백에다 오늘도 심고 있었다. 그리고 서정성이라는 자연을 닮은 마음으로 그 꽃을 바라보고 있었다.

소년은 아주 어린 시절 고향을 떠나왔지만, 항상 고향 마을 푸른 하늘에 자유로운 모습으로 떠 있는, 솜털처럼 부드러운 흰 구름이 마음속에서 그려지곤 하였다.

그 구름 한 조각 한 조각이 모여 새털구름이 되고, 그 모습이 소년의 마음과 같다는 생각을 마음속에서 지운 적이 없었다.

그런 마음은 시류에 따라 군집하는 사람들의 변화무쌍한 행위와 타향살이로 인해 부딪치고 상처받는, 소년의 울퉁불퉁한 감정을 다스리는데, 도움이 되곤 하였다.

소년은 언젠가는 산과 바다와 하늘이 사람과 함
께 어우러진, 남쪽 마을 그곳에서 살아야겠다는
생각을 잊지 않고 있었다. 물론, 그곳에는 항상
소년과 마음으로 같이 하는 소녀가 있는 곳이었
다.

 지금은 부모가 상경하였으니 선택권이 없는 소
년이었기에, 당연히 가족이 같이 상경하여 살아
가는 소년이었지만, 언젠가는 본인의 뜻대로 행
동할 수 있는, 그날의 소년이 오기길 기다리고
있었다.

 그러기 위해서는 자신의 마음과 자연을 동일시
하는 마음으로, 오늘 자연 속에 있음을 잊지 않
고 비록, 도시에 살고 있지만 이렇게 도시 속에
서 자연을 발견하고, 그 속에 자연을 느끼고 호
흡하고 살아있음을 인식하고자 하였다.

산책과 이슬

오늘따라 하늘은 무척 푸르고 높았다. 그런 하늘을 새들은 이리저리 동그라미를 그리면서 자기들의 존재감을 드러내고 있었다. 이렇게 행동을 하는 새들은 텃새가 틀림없었다. 이는 공간만을 집착하면서 흐르는 세월은 무심한, 원초적인 사람의 본능이 작용하는 사람과 다름이 없었다.

소녀는 언제나 부모와 함께 아침에 일어나, 산을 한 바퀴 돌곤 하였다. 가족이 함께 산책하지만, 소녀와 부친은 각자 조금의 거리를 두고 산책을 하고 있었다.

이는 침묵이라는 자연의 언어 속에서 여러 자연의 속삭임을 들을 수 있기 때문이었다. 가까이는 진달래꽃의 속삭임과 수많은 생명이 나름의 이야기를 들려주기 때문이었다.

저 건너 바다 쪽, 고금도와 신지도의 산새들도 소녀에게 아침 인사를 하기 위해 이곳으로 날아오곤 하였다. 이처럼 이른 아침에 산책한다는 의미는 오늘의 시작을 몸이 아니라, 마음으로부터 시작함을 의미하였다.

마음으로의 산책이란 몸속의 본능을 서서히 자연으로 스며들게 하는 행위이기 때문이었다. 이는 마치, 이슬이 아침햇살에 서서히 모습을 감추는 것처럼, 산책은 자연의 길을 마음으로 걷는 행위라 할 수 있었다.

소녀는 산책하다 보면 주변에 오래된 고목들이 즐비함을 새삼 느끼고 있었다. 특히, 오래된 소나무는 오랜 세월 풍상을 견디며 살아왔기에, 그 등과 손은 거북등처럼 갈라진 모습이었다.

사람이었다면 그런 모습은 이제 살아갈 날이 얼마 남지 않는 모습이었다. 그러나 소나무는 달랐다. 이제 긴 생명의 길로 갈 수 있는 갑옷을 입은 모습이기 때문이었다. 끈질긴 인내력과 생명력과 열매에 대한 욕심을 덜어낸 까닭에 가능한 모습이라 할 수 있었다.

소녀는 소나무의 그런 모습을 보고 조화를 피울 수 있는, 용이라 부르는 이유를 알 것만 같았다. 우리 역시, 용이 되고자 하면 그런 거친 세월을 몸과 마음으로 이겨내야 한다는 생각이 들었다.

마음 치유

 소년이 사는 도시에서의 사람들은 지치고 힘들어하는 마음을 치유하고자, 사람 간의 만남을 통해, 비싼 대가를 내면서 이를 얻고자 하였다. 왜냐하면, 사실 도시에서의 마음의 상처는 대부분 사람에 의해서 만들어지기 때문이었다. 이는 많은 사람이 한정된 좁은 공간에서 군집을 이루면서, 지나친 경쟁 속에서 살아가면서, 서로에게 본의 아니게 마음의 상처를 주기 때문이었다.

그러나 소녀가 사는 인적이 드문 이런 자연 속
에서의 생활은 사실 마음의 상처까지는 아니지
만, 화려하고 편리한 도시에 대한 동경심 역시
마음 저변에는 남아있는 사람들도 있었다. 이는
조금씩 도시에 대한 그리움에 가까운 막연한 마
음속 욕구의 앙금이 남아있었다.

  이런 현상은 조금씩 차이는 있었지만, 남녀노소
를 불문하고 비슷한 부분이었다. 왜냐하면, 어쩌
다 서울 이야기를 하면, 모두는 호기심이 가득한
눈으로 그 서울 이야기하는 사람에게 다가가는
모습이었다.
  그리고 이곳 사람들은 항상 서울 갈 때는 올라
간다고 말하고, 서울에서 땅끝마을로 올 때는 내
려간다고 말하였다. 그래서 어린 시절 소녀는 산
정상에 올라가서 서울로 가는 길을 찾아보곤 하
였던 기억이 있었다.

다만, 소녀의 가족처럼 모두가 자연을 노래하는 음유시인과 같은 생활을 즐기는 이라면, 온 가족이 자연 속에서 사색을 통해, 마음의 치유를 얻고 또한, 자연 속에서 즐거움도 얻고 있었다.

물론, 이곳 시골도 사람은 많지 않지만, 그러기에 오히려 아주 작은 상대의 이야기도 큰 상처로 느끼는 주관적인 현상도 있었다.

그리고 산 곳곳에 무덤이 많다는 점이었다. 인간은 유한한 존재이기에, 언젠가는 모두 무덤 속에 묻히겠지만, 가까운 혈육과의 이별해야 한다는 막연한 서글픈 감정이 일상에서 생긴다는 점이었다.

반면, 사색하는 마음은 더욱 깊어질 수밖에 없다는 점이었다. 언젠가 자연으로 돌아가기에, 이 또한, 자연의 순환 이치 속에 숨 쉬고 있는 한, 어떤 형태로든 자연 속에 함께 한다는 점을 생각하게 된다는 점이었다. 당연히 사람에게도 돌아가고자 하는 마음 또한, 작아지고 마음의 상처는 금방 아물곤 하였다.

숲속과 모성

 소녀가 사는 이곳 숲속은 언제나 따듯한 햇살 그득 담긴 모성 같은 곳이었다. 그런 숲속이야말로 자연의 호흡이 가득한 곳이기에, 이곳에서 생명을 얻고 몸과 마음을 건강하게 유지할 수 있었다. 그런 숲속은 모성애가 가득한, 필요충분한 장소이자 안식처라 할 수 있었다.

오늘 이곳 산정에는 일기의 불안정성이 많은 곳
이었다. 그래서 하루에도 몇 번씩 비가 화려한
장막을 치듯이 내리고 있었다.

　소녀에게 비 내림은 일종의 씻김 의식을 하는
대상이었다. 특히, 가을비가 내리는 날에는 일상
이상의 의미가 있었다. 가을의 다가옴은 사계절
중에 세월이 흘러, 어느덧 석양 길목에 서 있음
을 말하고 있었기 때문이었다.

　또한, 가을은 하루로 비유하자면 태양이 밝게
비추는 낮에서, 어둠이 짙게 내리는 밤이 시작하
는 그 교차점에 있기에, 그 빛은 더욱 빛나고 찬
란하고, 어둠은 더욱 진해지고 있었다.

특히, 가을비 대하는 소녀의 마음은 혼란과 벅차이 가득해지는 순간이기도 하였다. 그 가을 속에 가랑비가 내리고 있음은, 그 비 고스란히 사색의 강이 되어 마음속으로 흘러들어오기 때문이었다.

천 미터에 가까운 병풍처럼 늘어선 주작산과 두륜산 연봉에, 하늘에서 내리는 비는 연극의 장막을 바꾸는 의식의 하나이었다. 이런 비 내리는 모습은 우리의 일상과 사색적인 생활이 자연스럽게 중첩되게 하였다.

한참 후 비는 멈추고 산 중턱에는 찬란한 무지개가 산과 바다를 이어주고 있었다. 이런 광경은 비의 의미가 씻김에 대한 중의적인 함의를 표현할 수 있음을 알 수 있었다. 특히, 따스함과 서늘함이 교차함 속에서 가을비 내리는 모습이기에, 뜨거운 열정과 차가운 이성의 교차가 가능한 일이었다.

나팔꽃

아침에 일어나 보면 이곳 산정의 정원에는 언제나처럼 새롭게 꽃들이 피어나고 있었다. 그중에 나팔꽃을 사람에 비유한다면, 일상을 부지런히 살고자 하는 사람에 비유될 수 있었다. 다만, 오후에 까지 꽃을 피우기 위해, 아침에만 지나치게 바쁜 모습은 아니어야 한다는 생각이 들었다.

이에 반해 소녀는 밤에 피어나는 꽃이었다. 깊은 산중에 밤에 피어나는 꽃이라면 무슨 소용이 있을까? 라고 의문이 든다면, 어두운 밤만을 생각하기보다는, 밤하늘에 빛나는 별을 생각해 봄이 좋을 듯하다는 생각이다.

밝은 대낮에는 모두가 태양의 도움으로 자기의 색을 내어놓고 꽃을 피우지만, 어두운 밤에는 진한 어두움의 장막을 훨훨 벗어버리고, 자기만의 색을 내기가 어렵다는 점이었다. 반면, 그 어두움의 장막을 뚫고 소녀와 대화하는 별들은 소녀에게 사색 꽃을 피우게 하고 있었다.

소녀는 밤새 여러 생각 속에 글을 쓰다가, 새벽
녘에 잠이 들었다. 어느덧 아침이 되어 햇살이
방안 깊숙이 들어와 소녀를 깨우고 있었다. 이내
소녀는 잠자리에서 일어나 창문을 열고 바깥 풍
경을 바라보고 있었다. 오늘은 날씨가 무척 화창
한 아침이었다.

 그런데 이런 맑은 날씨에도 불구하고, 소녀는
비 내리는 아침이라 느껴지는 마음으로 하루를
시작하고 있었다. 소녀에게 비는 우울한 감정만
을 표현한다기보다는, 일상에서 비켜나 사색하면
서 하루를 시작하는 마음이 내재한 표현이라 볼
수 있었다.

 왜냐하면, 비는 하늘에서 내려와 대지를 적시면
서, 햇살 가득한 외부로 향해진 건조하기 쉬운
마음을, 몸 안의 마음으로 다시 들어오게 만들기
때문이었다. 그리고 그 마음속에다 사색의 여지
를 만들어 주는 사색 기제이기 때문이었다.

풀잎에 이슬이 한 방울 두 방울 맺혀있었다. 소녀는 이 모습을 보고, 밤새 나 몰래 다가와 서러운 눈물 이슬로 남기고, 흔적도 없이 내 곁을 떠난 소년이 남긴 그리움이라 느껴지곤 하였다.

오늘과 새날

 반복되는 일상이라도 소녀에게 있어서 매일은
자연의 이치를 새롭게 깨우치는 나날들이었다.
오늘 아침은 이미 지나간 어제의 아침이 아니라,
오늘 새 아침이라는 점이었다. 그러기에 매일 다
가오는 오늘 새 아침에, 묵언하면서 마당을 쓸거
나, 널브러진 쓰레기를 치우는 행위를 하곤 하였
다. 이런 행위는 비록 마당을 쓸고는 있지만, 마
음을 쓸고 닦는 것과 같았다. 물론, 마당 쓸 듯이
매일 마음을 닦는다는 의미는 더욱, 깊이 사색한
다는 의미이었다.

소녀의 부친은 소녀가 마당을 다 쓸기를 기다렸다가 소녀에게 질문을 하곤 하였다. 사실, 소녀의 부친과 소녀는 철학적인 질문을 수시로 주고받고 하였다. 그리고 소녀의 부친은 질문에 답까지 주곤 하였다.

누군가가 "밤늦은 시간에 비가 하염없이 내린다. 라고 말한다면, 이는 형이하학적 비 내리는 현상을 보고, 형이상학적인 마음이 하염없이 움직여, 사색을 깊게 하는 시간이라는 의미가 함축된 표현할 수 있다."

이 말을 들은 소녀는 잠시 머뭇거리면서 여러 생각이 마음을 오가는 것을 느끼고 있었다. 이를 눈치챈 소녀의 부친은 말을 이어나갔다. "여기서 어두운 밤에 내리는 비는 사색 바다에서, 새로운 생각이 계속 다가옴을 의미하기 때문이다."

또한, "비가 하염없이 내린다."라는 말은 사색 속에 깊이 빠져든다는 의미가 중의적으로 내재한 표현이라는 부친의 말을 소녀에게 설명하여 주었다. 소녀는 이러한 부친으로부터 사색 마음의 씀씀이에 대해 틈틈이 배우고 있었다.

소녀의 부친은 소녀에게 질문을 하였다. 누군가가 말하기를 "가을이 성큼 다가왔다."라고 한다면, 이를 어떻게 해석하겠느냐고 물었다. 소녀는 잠시 생각하다가 방금 부친의 이야기를 마음속으로 생각하면서 말하였다.

　"다사다난하고, 분주한 일상이 지나고 있음을 마음속에서 느끼고 있음을 말하고 있습니다. 왜냐하면 가을이 의인화되어 마음의 친구로 다가오는 모습이기 때문이며 또한, 편안하고 고요한 마음 상태와 세월의 끝자락인 가을을 중의적으로 표현하고 있기 때문입니다." 그런 소녀의 답변을 듣던 부친은 가벼운 미소를 머금은 체 만족감을 표시하고 있었다.

소녀와 소년의 부친처럼 사색하는 이는, 언제나 자연 속에서 시작과 끝을 맺고 있었다. 그래서 사색하는 이의 마음은 자연과 닮아 있었다. 당연히 육체적인 나이를 떠나, 마음으로 자연을 노래하는 소녀와 소년의 감성을 지닌 이는 사색 인이라 말할 수 있었다.

나무와 인간

소녀의 부친은 소녀에게 원초적인 혈연관계를 뛰어넘어, 스승과 제자이자 동반자와 같은 모습 이었다. 주변의 나무는 하루가 다르게 하늘을 향 해 높이 그리고 옆으로 커가고 있었다. 오히려 단단한 암반에다 뿌리를 내리고 있기에, 바위만 잘 잡고 있으면 산정의 거센 비바람에도 잘 견디 고 자라날 수 있었다. 그런 나무는 해마다 성장 하고 있었다. 나무의 뿌리 역시, 겉으로 성장하는 것만큼 땅속 깊이 성장하고 있었다.

소녀가 사는 산정마을은 수많은 나무가 자라나고 있었다. 땔감을 위해 명 다한 나무만 수습하여도, 이제는 그런 나무가 산정 곳곳에 많이 남아있었다. 나무의 성장에 비해 사람들이 이제 이곳에 소녀의 집이 외는 사람이 살지 않았기 때문이었다.

얼마 전까지 연로한 노인 몇 분이 살아 계셨는데, 이제는 그분들도 세상을 하직하였기에, 이제는 정주하면서 살아가는 가구는 소녀뿐이었다.

소녀는 생각하였다 사람도 나무와 같이 성장한다면, 비록, 몸은 성장하는데 한계점이 있어도, 보이지 않는 마음은 끝없이 깊이 있고 폭넓게 성장할 수 있다는 생각이었다.

그러기에 소녀는 매일 사색을 해간다면, 나무가 작은 기둥에서 큰 기둥이 되도록, 조금씩 자라나는 것처럼, 사람의 마음도 매일 생각이 조금씩 깊어진다는 생각이 들었다. 마음이 깊어진다는 것은 마음이 자란다고 말하는 것과 같았다.

소녀는 생각하였다. 물론, 사람의 몸은 나무보다는 생명의 주기가 짧고 유한하기에, 성장기에는 매일 몸은 커가다가 어느 시점이 되면, 얼굴에 주름이 지고 몸은 늙어간다는 점이었다. 이런 현상은 몸은 자연에서 나서 자연으로 돌아간다는 자연의 속성의 하나라는 의미 속의 과정이었다.

다만, 몸이 늙어간다고 마음의 꿈도 펼치기보다는, 접어야 할 이유가 없다는 점이다. 다만, 세월의 흐름에 따라서 세상을 향한 꿈들은 하나씩 깨면서 접으며, 더 넓은 마음의 세상으로 들어가야 한다고 생각하였다. 당연히 그 넓은 마음의 세상이라는 의미는 인간의 세상을 포함은 대자연의 세상을 말함이었다.

이는 결국, 꿈은 펼치되 또한, 꿈을 깨가야 한다
는 점이었다. 다만, 그 깨가는 것을 깨우침이라
말할 수 있지만, 마음은 보이는 형상이 없기에,
온갖 형식과 현상으로 말하면서 깨우침이라 말할
수 없다는 점이었다. 결국, 자신의 그림자도 외부
로 보이지 않게 깨우치는 마음이라면, 자연의 이
치에 가깝게 다가간다는 생각을 소녀는 하였다.

여름날

어느 곳이나 마찬가지이겠지만, 이곳 산정마을의 여름날은 사계절 중에 가장 왕성한 움직임이 있는 곳이었다. 당연히 수많은 생명체가 사는 이곳도 치열한 생의 현장을 의미하고 있었다. 그런 여름날을 형이상학으로 표현한다면, 격정과 정열이 넘치는 젊은 날을 의미하기도 하였다.

다만, 이곳 산정마을처럼 사람의 모습만이 보이지 않아, 가장 고요하고 한적한 곳이라고 말하고 있을 뿐이었다. 여름철에는 집안과 밖이 온도 차이가 없어 들고 나감이 자유로운 철이었다. 그러기에 여름날은 몸과 마음을 살피는 공부하기는 좋은 계절이었다. 그래서 산중마을의 여름날은 가장 왕성한 마음 활동을 하는 의미가 있는 계절이었다.

이런 여름날에는 이곳 산정의 계곡마다 소리 공부하는 사람들의 차지가 되고 있었다. 아마도 일상에서 공기 반, 노래 반으로 노래할 때 어쩌면, 제일 상쾌하게 들리는 노래라 말할 수 있었다.

사람의 몸에서 내는 소리지만, 자연의 바람 소리를 내는 것과 다름이 없으니, 소리는 자연 바람 소리의 하나라 말할 수 있었다. 쏟아지는 폭포수와 마찬가지로 사람의 몸속에서 우레와 같은 소리가 나와 자연과 하나가 되고 있었다.

이는 자연을 기반으로 청량감을 동반한 노래를 부른다는 뜻이었다. 이에 노래를 부르는 이나, 듣는이 역시 상쾌함 속에 있다 할 수 있었다. 당연히 바깥 기온과 집안 기온이 차이가 없는 이런 여름이란 계절은 안과 밖이 따로 없으니, 생각을 쏟아내든 노래를 쏟아내든 공기 반 생각 반으로 할 수 있다는 점이었다. 이런 이유로 소녀는 여름철을 좋아하고 있었다.

풀과 무위자연

산정에도 온통 풀들이 자리 잡고 있었다. 풀은 들판에서만 자라는 것이 아니라 이렇게 높은 곳에서도 잘 자라고 있었다. 우리는 살아가면서 한시도 환경을 탓하지 않는 적이 없었다. 그러나 풀들의 강인한 생명력을 보면 우리의 불만은 사치라는 생각이 들었다.

풀들이 가득한 이곳은 소녀의 놀이터이었다. 주작산은 그리 높은 산은 아니었다. 다만, 바닷가 근처에 있는 산이기에 그 산세가 웅장하고 높아 보였다. 산 정상 부근에는 평평한 곳이 있어서, 소녀는 아주 어린 시절부터 이곳에서 뛰어놀았었다.

푸르름이 가득한 산정 풀밭을 소녀는 꿈이 가득한 꿈 밭이라 부르고 있었다. 소녀는 풀을 바라보면서 많은 생각을 하였기 때문이었다. 풀은 애초에 무거운 열매를 맺을 수 없는 모습이었다. 그런 풀의 모습에 사람들은 자기 농작물 수확에 영향을 주지 않는 한 전혀 눈길을 주지 않았다.

반면에 소녀는 다른 사람들과 달리 풀의 열매의 크기와 무게에 연연하지 않았다. 오히려 그런 풀의 모습에, 소녀는 풀들을 바라보면서 아주 만족스러운 느낌이었다. 소녀는 아주 작은 바람에도 자유롭고 섬세하게 움직이는 풀을 관찰할 때마다, 마음속에서 꿈의 열매가 익어감을 알 수가 있었다.

소녀는 그런 풀의 모습 속에서 무위(無爲)자연의 이치를 알게 되었다. 생명 유지를 위해 힘 기울이지만, 풀처럼 결과에 연연하지만 않는다면, 우리 인간도 평상심과 평정심이 함께하는 생을 살 수가 있다는 생각이 들었다. 이런 평상심과 평정심이 함께하는 마음이란, 마음이 세상사에 의해 흔들림이 없이 편안하게 살아가는 것을 의미하고 있었다.

소녀는 풀과 같은 마음으로 다가가기 위해서는, 인간적인 희로애락의 감정이 옅어지는 상태의 마음에서부터, 그 여정은 시작한다는 생각이 들었다. 왜냐하면 그 자연과 같은 마음은 언제나, 자연처럼 편안함 속에 있는 마음이기 때문이다.

물론, 생각의 처음부터 끝까지 현상으로의 풀의 모습만을 생각하는 것이 아니라, 풀을 통해 사색의 창을 열고, 사색하는 마음으로 들어서야만 한다는 점을 잊지 않아야 한다는 점이었다.

산정에서의 소녀의 모습은 좀처럼 서 있는 모습을 볼 수가 없었다. 가부좌하면서 앉아있거나, 엎드려 풀의 향긋한 내음을 느끼고 있기 때문이었다. 이런 소녀의 자세의 모양은 지상에서 가장 낮은 자세이었다. 하지만 그런 자세는 가장 강한 풀을 통해 절대 부려지지 않는 풀과 같은 단단해진 마음으로 사색한다는 의미이었다. 그러기에 가장 자연과 가깝게 살아갈 수 있는 자세라 말할 수 있었다.

자연인과 세족(洗足)

  소녀가 사는 이곳 산정마을은 어쩌면 하늘과 가
장 가까운 곳이라고 볼 수 있었다. 산 아래의 마
을에서는 하늘을 보기 전에 산을 먼저 보아야 했
다. 그리고 다음에 산 위로 하늘을 볼 수가 있었
다. 그러나 산 정상에 가까이 있는 산정마을에서
는, 소녀의 머리 위가 바로 하늘이기 때문에, 하
늘을 바라보는데 장애가 되는 그 어떤 것도 없엇
다.

소녀의 머리 위로 창공에 떠 있는 구름은, 뜨거운 정열의 상징인 태양을 가려줄 만큼 큰 모습이었다. 그 높이와 크기는 엄청난 모습이었기에, 그것이 꿈의 크기라면 소녀는 사양하고 싶었다.

그 구름 시원한 계곡물 되어 늪에 가까운 질퍽한 몸의 체액을 지닌 사람에게, 그 몸의 탁함을 희석하도록 도와주고, 마음에는 사색 물이 되도록 도와주어, 온몸과 마음이 잘 순환하도록 하였다.
그리고 나머지 물은 산과 나무의 몫이었다. 아니, 몫이라기보다는 일시적인 물의 저장고이었다. 그리고 목말라하는 생명들에게 시시때때로 맑은 물로 씻김을 해주고 있었다. 이처럼 자연에는 온 사방이 맑게 흐르는 물천지이었다. 그 자연에서 흐르는 개울물에 세족하는 소녀는 자연인이라 말할 수 있었다.

먹구름과 소나기

먹구름이 소나기 되어 소녀의 머리를 적시는 날, 소녀의 고요한 마음은 온통, 사색 물결이 일렁거리고 있었다. 먹구름은 어둡고 진한 터질듯한 욕망의 겉껍질을 순식간에 깨고, 아주 가늘고 섬세한 붓으로 허공을 화판 삼아, 수많은 붓질을 단박에 하면서 그 몸 사르고 있었다.

소녀에게 비와 구름은 아주 가까운 사색의 친구이었다. 아니 항상 소녀 곁을 지켜주는 수문장 같은 비이었다. 구름은 강력한 비라는 화살을 지니면서, 흥분이 넘쳐나는 지상의 열기를 단숨에 화살을 쏘아 그들을 잠재우곤 하였다.

  또한, 그러한 비는 생명의 순환을 의미하며, 구름은 어둠물질이 가득한 우주 속 수많은 마음을 의미하였다. 그래서 먹구름이 비가 되어 내리는 날에는 하늘의 낮달도 소녀 사색하는 마음속에 잠을 청하는 날이었다.

비와 사색

소녀에게 비는 사색 함에 있어 가장 좋은 사색
친구이었다. 소녀는 수직으로 다가오는 비를 통
해 마음속에서 사색의 기제가 열리고, 닫혀있던
마음은 수평적인 사색의 길을 모색하면서 자연의
이치를 터득해가기 때문이었다.

비와 안정제

 소녀는 비가 내리는 날이면 하던 일을 멈추고, 그 내리는 비를 하염없이 바라보곤 하였다. 그런 비는 비상한 재주가 있었다. 비는 소녀의 마음속에서 몸의 상태 여부에 따라 상하로 요동치는 감정과 그에 따르는 욕망과 욕구를 잔잔하고 편안하게 수평적으로 잠재우는 안정제와 같은 재주를 지니고 있었다.

비는 수직으로 하늘에서 내려와, 땅에 닿을 때부터는 수평으로 물결을 펼치면서, 결국은 순식간에 그 물결을 잔잔하게 만드는 묘한 힘이 있었기 때문이었다.

소녀는 그런 비의 입체적인 작용을 무심으로 한참을 응시하면서 바라보았다. 소녀에게 비는 그런 면에서 비는 안정제라 말할 수 있었다. 소녀는 이처럼 어떠한 자연현상을 몸으로 직접 겪은 현상으로만 두지 않고, 그 현상을 마음으로 다시 깊이 맞이하여 그 의미가 새롭게 확장되도록 하고 있었다.

숲속의 꿈길

소녀가 사는 이곳 산정마을은 수많은 나무의 꿈이 가득한 숲속으로 표현할 수 있었다. 그런 숲속 빼곡히 난 꿈나무 사이로 난 길이 있다면, 그길은 소녀와 같은 산정마을 사람의 몫이었다. 그숲속의 길은 소녀에게 고요한 사색의 길이자, 꿈길이라 말할 수 있었다.

사람들은 이런 고요함 속에서 살기를 갈망하면서도, 여러 가지 이유로 사람들 속에서 살면서 작은 물질의 이익에 연연하고 있었다. 그리고 그 물질의 이동에 따른 마음은 항상 노심초사하는 마음이었다.

  그러나 이러한 조바심 나는 그곳에서 벗어나 고요함을 얻고자 한다면, 한 발짝 그곳에서 떨어져서 자연 속에서 사색하는 마음을 가질 때, 그 마음은 편안함을 느낄 수 있음을 이곳 산정마을 사람들이 말해주고 있었다.

전봇대와 달

　소년이 사는 도시에서의 사색은 어둠 한가운데
서 있는 전봇대의 몫이었다. 어둠이 짙게 내리는
밤, 얼마간의 심심하고 설렁한 거리를 두고 서
있는 전봇대는 사람들 모두가 둥지를 찾아 귀가
한 후, 자신만의 밝고 둥그런 마음을 내어 보이
기 시작하고 있었다. 소년은 그런 거리로 나와
진한 어둠 속에 서 있는, 전봇대의 둥근 달 모양
의 전등 속에, 소년의 마음속 달님과 함께 사색
을 모색하곤 하였다.

산정의 자연인

 이곳 산정마을에서 자연을 노래하고 자연 속에 함께하는 사람이었다. 또한, 언제나 거시적인 자연의 우주의 공간과 시간의 흐름 속에 살아감을 자각하는 사람이라 말할 수 있었다.

 그런 사람이라면 여러 인위적인 형태의 공간인, 큰 집에 있거나, 아주 단순하고 작은 토굴 같은 집의 공간에 거주하여도, 그 차이가 별반 차이를 느끼지 못한다는 점이었다. 이는 자기 자신이 가장 큰집이자 가장 작은집임을 알기 때문이었다.

객체로서 우리 인간은 이 세상에 태어나서 짧게 살다가 세상을 떠난다. 그러기에 대부분 사람은 그 생의 유한성에 부질없다는 허무감 속에서도, 자기 자신이 이루고자 하는 목표에 도달하고자 무리를 하면서, 많은 시련과 고통을 감내하면서 살아간다.

반면에 그 짧은 생을 살다가 마감함에 크게 신경 쓰지 않는 사람이 있었다. 그런 사람들은 소녀의 가족과 같은 사람들이었다.

그 이유는 소녀와 같은 사람들은 대자연의 시간과 이미 하나 되어 살고 있기 때문이었다. 이는 대자연의 시간이 멈추지 않는 한, 인간으로서의 살았던 생 이후의 모습이 어떻게 변화하든지, 그 존재의 시간은 멈추지는 않는다는 점을 알고 있었기 때문이었다.

소년 역시, 도시에서 작은 공간만을 차지하면서 살고 있었다. 또한, 인간은 대자연에 비하면 작은 존재라는 것을 인식하고 있었다. 도시도 전원생활을 하는 시골과 마찬가지로 햇살과 바람이라는 시간성이 중첩된 체, 한순간도 끊임없이 호흡하면서 살아가고 있었다.

이런 현상과 이치를 소년과 같이 실존적 존재로서의 호흡의 가치의 중함을 인식하고 살아간다면, 그래도 사는 동안 하루하루 자연과 더불어 마음속으로 사색적 깊이를 더해 갈 수 있다고 소년은 생각하고 있었다.

또한, 소년은 인간으로 살아가는 실존적 존재로서, 자연론적 실존을 지향하고 있었다. 소년은 모든 부분의 최종적인 목적지가 되는 본질 부분 포함해서, 신비 부분을 지향하는 과거사상에 모든 것의 의미를 두지 않았다.

 그런 데도 아직도 이를 붙잡고 의지하는 인류에게 따뜻한 위로를 건네고 있었다. 이는 실존적인 존재로서 인류애적 마음에 있기 때문이었다.

* 인간만의 독특한 마음속 사유 세계를 사색 마당이라 구분한다고 하여도, 이 또한, 자연의 마당의 범주에 있다고 볼 수 있다. 다만, 자연은 생사에 대한 본질적 영역이며, 사유하면서 사색하는 인간의 모습은 존재의 영역에다 그 의미를 둔다고 볼 수 있다. 그 존재적 영역인 사색의 깊이와 넓이에 따라 사는 동안 자연에 좀 더 가까이 다가간다고 볼 수 있었다.*

또한, 소녀와 같이 산과 들이 펼쳐진 자연 속에 살면서, 그 자연의 현상에 순응하여 살아간다면, 이는 자연인이라 역시 말할 수 있었다.

소녀는 여기에 더해 그 현상으로 보이는 자연의 이면에 숨겨진 이치까지 알아차리고자, 마음속에서 더욱 깊고 먼 사색의 길을 도모하고 있었다. 그리고 이를 생의 방향성에다 놓고, 그 길을 잡고 살아가고자 하였다. 그러기에 소녀는 자연인이자 사색 인이라 말할 수 있었다.

소녀는 그렇다고 자연에서 살면서 자연이 주는, 그 메시지만을 이해하고 이를 추구하는 것은 아니었다. 이는 전달하고자 하는 메시지가 간단하고 명료한 격언이나 속담 같은 의미만을 마음속에 담지 않는다는 점이었다.

왜냐하면, 사실 명언과 속담은 언어의 뼈대만 사용한다는 점이었다. 그 언어의 뼈대에 인간다운 감정을 담아, 문화라는 옷을 입히면서, 인간으로서의 사색적이며 실존적인 부분은 소녀의 몫이었다.

결국, 소녀는 누군가 언어와 글로 자기의 의식을 표현한 것을 그냥 받아들이기보다는, 독립적인 실존적 존재로서 충분한 사색을 통해, 마음속에서 인간다운 감정으로 재생산하여 이를 문화로 내어놓고자 노력하였다.

물론, 명언이란 오랜 사색 생활을 통해 아주 간결하게, 결론 내려진 항목이라 할 수 있었다. 그리고 그 결론은 각자의 그 시대의 상황에 따른 사색의 방향성에서 다양성과 복잡성에서 벗어나, 단순 명료한 마음 순화 기능을 한순간에 느끼도록 하는, 순기능을 장착한 말이었다.

다만, 그 뜻을 단순 전달하는 의미로 문자와 언어를 사용하는 것과 소녀와 같이 이를 문화로 승화하여, 사람의 존재론적 가치를 높이는 창작작업을 하는 이이기에 소녀는 예술인이자 사색인이라 부를 수 있었다.

사실, 문화란 격정적인 본능의 에너지를 인간다운 감정으로 순화하여, 인간을 아름답게 꾸미면서 그 감정의 옷을 입히는 과정이며, 인간 존재 가치를 더욱 돋보이게 하는 보석 같은 존재로 완성되면 문화재라 말할 수 있었다.

 이는 각자의 적성과 재주를 살려서 모두가 문화의 생산자와 소비자가 될 때, 인간 세상은 찬란한 세상이 될 것이라는 생각을 소녀는 생각하고 있었다. 어쩌면 이러한 생각 또한, 소년도 동감하고 있었기에 소녀와 소년은 일심동체처럼 가까운 사이라 말할 수 있었다.

사색의 길

  소녀처럼 현상과 이치는 다름이 아니라 하나임
을 알아차리고, 온갖 식물이 가득한 주작산 숲속
길을 가면서, 이를 사색의 길로 연결할 수 있는
이라면, 이는 제대로 사색의 길을 가는 사람이라
말할 수 있었다.

소녀의 마음은 언제나처럼 산정에서 저 멀리 강진과 고금도를 연결하는 붉게 칠한 다리를 건너 한걸음에 달려가고 있었다. 사실, 얼마 전까지 육지와 가까이 있으면서도 한걸음에 달려갈 수 없었던 섬이었다.

이제는 이렇게 다리로 연결되어서 강진에서 고금도 그리고 신지도 그리고 완도 본섬까지 한걸음에 달려갈 수 있었다. 소녀의 시선은 순간 기왕에 내친김에, 그 옆 섬 신지도의 명사십리 백사장을 걷고 있었다. 물론, 이런 여행은 마음으로 상상한 것이었다.

이렇게 아름다운 섬들은 마음으로 여행할 수 있음은 오늘 살아 있기에, 소녀는 가능하다는 점을 알고 있었다. 마음은 죽고 사는 것이 없다고는 하지만, 몸이 이 세상을 하직하는 순간 마음 역시, 더는 몸속에 존재하면서 상상하고 꿈꿀 수 없다는 점이었다.

설령, 마음이 있다고 하더라도 꿈을 꿀 수 있는 공간과 상상 할 수 있는 힘은 몸에서 나오기 때문에 몸이 사라진다면 마음 또한, 사라진다는 생각이 들었다.

그리기에 소녀는 객체로서 유한한 몸이 오늘 이 순간 살아 있다는 점, 그 자체가 너무 소중하기에, 오늘 살아있는 것만으로도 행복하다는 그 마음을 가져야 한다고 생각하였다.
그런 생각에 이른다면 오늘까지 생의 목적을 다 이룬 것임을 깨달아서, 인간다운 감정을 계속 유지하는 사람이라면, 이성을 겸비한 지성인이라 말할 수 있다는 생각을 소녀는 하고 있었다.

동반자

 산정마을의 소녀와 산 아래의 소년은 정말 서로 편안한 사이이었다. 정말로 편안한 상대라면, 무위(無爲)적 편안함을 말한다고 볼 수 있었다. 특히, 저녁노을이 산하를 붉게 물들일 때, 소녀와 소년은 아무런 말을 하지 않더라도, 각자의 위치에서 서쪽 하늘을 응시하였다.

이처럼 소녀와 소년은 거리를 두고 따로 존재하고 있지만, 같은 시간대를 공유하고 있기에, 그 황홀한 광경에 서로가 하나가 되는 느낌을 공감하고 있었다. 이런 교감은 소녀와 소년이 자연을 닮은 마음을 유지하고자 노력하면서, 언제나 사색하는 사람이었기에, 가장 편안한 상대이자 동반자라고 말할 수 있었다.

두 개의 창(窓)

  사람들은 서로 잘 살고자 군집을 이루면서도 결국, 서로가 극심한 생존 경쟁이 치열한 곳으로 만들면서, 고단한 생을 살아가고 있었다. 그런 인간 세상 안에서 조금은 비켜선 산정에서 소녀의 가족처럼 작은 오두막집을 짓고, 그곳에서 몸의 눈과 마음의 눈으로 세상을 보는 창을 나란히 만들어 놓고 산다면, 중간자적 관찰을 통해 일상을 자연스럽게 수행하면서 지내는 사람들이라 말할 수 있었다.

그래서 이곳 산정에 사는 그들은 수행자의 길을 가고자 하는 이라 말할 수 있다. 왜냐하면, 이는 몸과 마음의 길은 둘이 아니라, 하나로 갈 수 있음을 보여주고 있기 때문이었다. 몸은 자연에 거주하면서, 마음은 사색을 통해 자율적인 실존적 의지로 실천해 가고자 하기 때문이었다. 그런 의미에 있어서 소녀와 소년은 수행자로서 실천적인 생을 살아가는 모습이었다.

마음의 길

　소녀와 소년처럼 어디에서 살던지 몸의 본능에 이끌리는 욕망이라는 감정을, 사람다운 감정으로 제어와 조절하면서, 이를 꾸준히 유지하는 이를 말하기를 마음의 길을 가는 사람이라 말할 수 있었다. 이는 형이상학적인 마음이라는 개념에 대해, 사색을 통해 몸을 관찰하면서 이를 조절하면서 살아가기 때문이었다.

결국, 몸에 이끌려 욕망 속에 사는 길이 아니라, 인간이기에 느끼는 인간다운 감정이 가득하면서도, 자연이란 큰 틀의 생의 세상을 잊지 않고 생의 길을 살아가는 사람이라 말할 수 있었다. 결과적으로 인간다운 길이란, 그 길은 사색의 길을 말하였다.

  다만, 소녀와 소년처럼 꼭 인문학적인 형이상학을 다루는 일에 전념하지 않는 사람이라도, 그 어떤 일을 하더라도 그 일의 밑바탕에 사색하는 마음을 유지하는 이라면, 모두가 마음의 길을 가는 사람이라 말할 수가 있었다.

  이처럼 이렇게 보이는 몸과 몸으로 행위는 하게 하면서도 실체는 보이지는 않는 마음을 구분하고, 그 몸과 마음을 살피면서 세상의 이치를 두루 살피는 마음 작용은 인간만이 할 수 있는 마음의 길이라 말할 수 있었다.

생각나는 사람

소년은 버스를 타는 경우 평소에는 집 앞 정거장에서 내리곤 하였지만, 오늘처럼 가끔 내려야 할 정류장보다, 한 정거장 앞 정거장에 내릴 때도 있었다. 이곳은 경기도 광주시 외곽 지역으로 한적한 곳이었다. 거주지 곳곳에는 숲이 많아서인지, 숲속 사이로 아파트 단지가 숨겨져 있었다. 이미 주변은 어둠이 짙게 내려 사람들은 검은 가면과 검은 복장을 얼굴과 몸에다 쓰고 두르고 다니고 있었다.

소년은 숲길을 혼자 걸어 집으로 가는 길이었다. 자기 집에 바로 가는 노선버스도 있었지만, 그 노선버스를 타기 위해서는 보통은 한참을 기다려야 하기에, 소년은 근처의 큰길을 지나는 노선버스를 타고, 오늘처럼 이십 분 정도를 숲길을 걸어 집에 도착하곤 하였다.

도시 생활에 익숙한 사람들은 이런 행동을 무척 번잡한 일이라 생각해서인지, 그냥 오래 기다리더라도 집 앞에까지 가는 버스를 기다리고 있었다. 도시에서 사는 많은 사람은 군중 속에 항상 있고자 하기에, 잠시도 혼자 있는 시간을 힘들어하는 모습이었다.

잠시나마, 소년은 어둠 속에서 거리를 두고 서 있는 가로등 불빛 아래에서, 소년의 마음속에 내재 되어있는 또, 다른 소년의 그림자가 되어 누군가를 찾고 있는 모습이었다.

소년의 주변에 사람의 모습이란 오직 자신의 그림자뿐 이었기에, 이런 모습은 소년에게 외로움을 더하고 있었다. 그러나 어둠 속의 길을 걸어가는 소년은 이렇게 걸어가는 동안 언제나 혼자가 아니었다.

항상 시골의 소녀와 동행하고 있었다. 이처럼 어두운 밤, 이렇게 혼자가 되어 길을 걸으면 더욱, 그 소녀가 마음속으로 생각났었다.

그리고 그 소녀는 어떤 이야기든 하고 싶을 때 제일 먼저 생각나는 사람이었다. 물론, 어떤 내용이든 통화를 기분 좋게 하고 싶은 사람이었다. 그 소녀는 소년에게 아마도 마음 깊은 곳에 내재한 사람 중, 가장 소중한 사람이라는 생각이 들었다. 당연히 그 사람은 산정에 있는 소녀이었다.

사실, 사람들은 도시 내음 가득한 버스 안에서, 여러 사람과 함께 있으면서 최소한의 방향성이 같다는 안도감 속에 있었다. 그러나 버스에서 내리는 순간, 달리는 버스라는 도시와 문명의 이기에서 벗어나, 확 달라지는 공기의 순도에 한순간 외로움과 고독감이 밀려옴을 느끼곤 하였다.

사람들은 이런 자연 속에 그것도 어둠이 가득한 곳에 자기만 혼자 남겨두고, 버스는 나머지 승객을 태우고 떠나감을 싫어하였다. 물론, 가로등이 밝게 비추고 있지만, 살가운 사람의 온기가 없는 외딴섬에 남겨진 느낌을 확인해주는 불빛에 불과하였다. 당연히 홀로된 자기의 모습을 확인하고, 고독감과 외로움이 순간 밀물처럼 다가온 모습이었다.

소년 역시, 그런 느낌이 드는 것은 마찬가지였지만, 소년은 이런 순간의 고독감을 온전히 마음 속 사색의 공간으로 만들곤 하였다. 주변의 모든 사물이 검은 옷을 입는 하나가 되어, 소년은 자기 자신의 마음의 공간을 더욱 확장할 수가 있었다. 그리고 그 시간을 누군가와 위로와 편안함을 나누고 싶은 마음이었다.

어둠은 짙게 깔리고 모두는 형태를 감추고 어둠과 하나 되는 이 밤, 이곳에서 소년은 자기의 몸 밖으로 그림자도 내어 보내고, 홀가분한 마음 상태로 마음 여행을 하고자 하였다.

세상에 태어나 마음으로의 여행을 하고자 한다면, 사색의 힘으로 세상을 향한 본능이란 붉은 열정 뒤로 하고, 용감히 그리고 씩씩하게 만행을 떠나야, 마음으로의 여행이라 말할 수 있는 생각이 들었다.

늙음과 행복

 이른 봄 남향을 바라보는 소녀의 집 거실에 햇살이 긴 몸을 쭉 뻗고, 자기 집 인양 들어와 앉아있었다. 이런 날은 굳이, 화목난로에 땔감을 넣어 불을 지필 이유가 없었다. 제법 실내는 온기가 가득하였기 때문이었다.

소녀는 아주 조금의 온기만 가까이 있어도 행복하였다. 아마도 체감상 비슷하게 느끼는 온기였지만, 그 온기는 소녀 몸의 체온보다 훨씬 낮은 온도이었다. "그래 이 온기라면, 내 몸 하나 잘 간수(看守)하면서 의지하여도 살만하다." 소녀는 이런 말을 되새기고 있었다.

몸은 이제 어둡고 추운 겨울날을 지내고 있지만, 마음은 따뜻한 봄날을 사는 소녀이었기 때문이었다.

소녀는 오랜 세월 동안 항상, 사색이 흐르는 마음의 여울길을 건너 본래의 마음을 찾고자 노력하고 있었다. "그렇다면 그 본래의 마음은 무엇인가?"라는 의문점을 자기에게 질문하고 답을 구하고 있었다. 그리고 "그 본래의 마음이란, 자연과 같은 마음이다."라고 하면서 그 질문에 대해 스스로 답을 하였다.

"그 이유는 인간은 자연에서 태어나서 자연 속에 살기 때문이다." 물론, 여기서 다만, 인간 세상에 집착하는 소자연에만 머물지 않고, 대자연의 이치를 알아차리면서, 대자연 속에서 사는 점을 잊지 않음이 중요하다는 생각이었다.

그 이유는 인간으로 이 세상에 고고의 함성을 지르면서 태어나, 누가 가르쳐주지도 않았는데, 무의식의 마음으로 호흡을 한다는 점이었다.

여기서 무의식의 마음이란 글자 그대로, 자기의 마음이면서도 자기가 의식하지 못하는 마음이기에, 의식된 마음으로 일상을 인식하면서 살아가는 마음이 아니라는 점이었다.

그래서 이 마음은 자연의 마음이라 말할 수 있었다. 이는 타고난 인간의 본래의 마음으로 자연의 본질적인 바탕으로 존재하는 이치와 같다는 점을 알려주고 있었다.

색과 마음

    소녀는 여러 마음 작용 중의 하나인 감정은, 어떠한 현상이나 대상에 대해 느끼는 기본 마음 작용임을 알았다. 그리고 시시때때로 변화하면서 느끼는 다양한 감정을, 각각의 색으로 비유하고 이를 통합 조절하여, 하모니를 이루면서 하나가 되는 색깔로 재탄생하여, 이 색을 통해 그림으로 대상을 표현한다면, 인상파의 그림과 같은 생각일 것이라는 생각이 들었다.

사색과 인연

소녀는 인간 세상에서 이어진 깊은 인연이라도 어느 한 분이라 칭하고 있었다. 이는 인연은 존중은 하지만, 그 인연에 집착하지 않는다는 의미이었다. 또한, 설령 사랑하는 감정을 느껴서 소년을 임이라 부르더라도, 그 임에 대해 중의적이고 중첩된 의미를 부여하면서도 오직, 하나이자 전부라고 생각하지 않는다는 점이었다.

이러한 생각은 자연 속에 살아가는 소녀이기에, 그 어떠한 대상과 사물도 대자연 속의 소자연이라는, 그 인식을 마음 바탕에 두고 있기 때문이었다.

재회(再會)

소녀와 소년은 깊은 산속 작은 여울물이 흐르는 냇가에서 만나 서로의 미래를 약속하였다. 우린 같은 물이며 그래서 남이 아니다. 그래서 같이 흘러간다 해도 전혀 다름을 알아볼 수가 없다. 그러기에 도도히 흐르는 하나의 물결로 되어, 저 넓고 넓은 바다가 되자고 약속을 하였다.

어느덧 세월이 흘러 이렇게 소녀와 소년은 초로(初老)가 되어 서로 만나 보니, 서로 수질이 달라도 너무 달았다. 그래도 이제라도 서로 손을 붙잡고 바다로 향해 열심히 달려가자고 약속하였다.

서로의 탁한 앙금은 생명의 대지가 되고, 맑은 물의 인연 줄은 그대로 이어지고 있었다. 그리고 서로에게 의지처가 되어 동행함으로써, 더욱 멀리 바다 여행할 수 있음을 꿈꿀 수 있었다.

소녀는 이제 더 이상 이곳에서 혼자가 아니었다. 소녀의 부모가 세상을 떠난 후 한참을 혼자이었던 소녀에게 이제, 반백의 노인이 된 소년은 도시에서의 생활을 접고, 이곳 주작산 정상 소녀가 머무는 집으로 이사를 왔기 때문이었다. 각자 거처는 달리하면서도 소녀와 소년은 마음으로 아침을 여는 일을 같이하고 있었다.

소녀와 소년은 자연 속의 여러 합창 소리와 함께 맑은 차 한잔하면서, 아침마다 깊은 사색을 통해 마음을 교류하고 있었다. 어린 시절부터 서로가 자연 속에서 이상향(理想鄕)을 꿈꾸는 사람들이기 때문이었다.

다만, 그 이상향이란 현실과 먼 곳도 아니고, 이곳이 아닌 저곳도 아니었다. 그냥 자연과 같은 언제나 멈추지 않고, 계절이 순환하듯이 순리대로 평상심이 계속 지속되는, 그 마음을 유지 할 수 있는 마음 깊숙한 곳을 말하고 있었다.

산 아랫마을 사람들은 아침에 일어나면 우선 논밭으로 나가, 간밤에 무슨 일이 없었는지 자신들이 소유한 전답을 살피면서, 하루를 시작하고 있었다. 자연에서 살아가는 모두는 자연에서 마음을 캐내는 사람이라 말할 수 있었다. 그런 마음지니고 있다면 겉모습은 촌로의 모습이지만, 모두의 마음은 언제나 청춘이라 말할 수 있었다.

소녀와 소년은 아침에 깨어나 제일 먼저, 잊지않고 하는 일이 있었다. 그것은 사색하는 마음작용을 일으키는 일이었다. 밤새 잠들었던 몸이아침에 잠에서 깨어나 일어나듯이, 마음도 아침에 일어나 사색에 드는 일을 한다면, 마음을 깨우는 일과 같았다.

소녀와 소년은 마음과 몸이 자연과 함께 생동하는 사람이었다. 이렇게 사색하는 여정이 시작되는 아침이면, 그들의 마음속 시심은 새들의 재잘거림을, 울음이 아닌 노래로 표현하고 그 느낌을 공유하고 있었다. 그리기에 소녀와 소년은 그런 왕성한 시심이 가득한 모습으로 하루를 시작하였다. 그런 소녀와 소년은 하늘을 마음껏 날아오를 수 있는 마음이 생동하는 사람들이었다.

사색의 창문

　소녀와　소년처럼　사색이　일상화하는　이에게는 창문은 사색으로　향하는　마음의　문이라　할　수　있 었다. 몸으로는　가로막혀　나아　갈　수　없는　벽이 지만, 바깥세상을　마음의　눈으로는　얼마든지　넘 나들　수　있는　창문이기　때문이었다. 이처럼　창문 은 몸의　인연으로　작동하는　본능의　공간에서, 마 음이　작동하는　공간의　경계에서　문을　여닫을　수 있는　곳이었다.

창문 밖에서 펼쳐지는 다사다난한 일들도, 창문이 있는 집 안에 있다면 고요한 사색 속에 있을 수 있었다. 물리적이고 현상적인 풍경이지만, 속은 보이되 몸은 통과할 수 없는 경계의 벽이 유리창이었다. 그런 유리창에 여닫을 수 있는 문이 있으니, 마음먹기에 따라 얼마든지 넘나들 수도 있는 창이었다.

그런 창문은 큰 창이면 더 좋겠지만, 그렇게 크기는 중요하지 않았다. 산 정상에서 하늘을 바라볼 수만 있는 넓이면 되었다. 그리고 그 문을 통해 하늘에 떠 있는 구름문을 열고, 얼마든지 사색의 방으로 들어갈 수가 있었기 때문이었다.

오늘도

주작산 정상에는 등산길이 있어 제법 사람들이 이 등산로를 통해, 건너편의 남해와 수많은 섬을 관망하면서, 생에 대해 나름의 상념에 젖어있는 모습을 볼 수가 있었다.

그리고 그 산정 길옆에 살며시 얼굴을 내밀고 있는 소녀와 소년의 수행처를 들려, 소녀가 내어주는 차 한잔을 마시면서 잠시나마 일상에서 벗어나고 있었다.

자연 속에 가장 높은 곳 산정에는 기본적으로 고독함이 친구처럼 묻어 나지만, 그 고독에 찌들지 않고, 여유롭게 생의 길을 살아가는 소녀와 소년이 살고 있기에, 사람들은 소녀와 소년과 즐거운 대화를 나누다가 하산하였다.

사람들은 답답한 마음에 숨통을 열기 위해 시간을 내어, 이렇게 산 정상을 등산하는 일은 일종의 고행하는 길이었다. 그러나 뜻밖에 소녀와 소년을 만나, 맑은 차와 깔끔한 한 생각 더 나가는 사색이 흐르는 대화를 하고 나면, 밝고 투명한 미래의 마음길이 보인다는 점이었다.

소녀와 소년은 오늘도 실존적 의식 속에서 자연과 함께하는 생의 길을 걷고 있었다. 그리고 그러한 소녀와 소년의 주변에는 사색의 비가 항시 내려, 혹시나 모를 마음속 답답함을 풀어주고, 지혜를 얻을 수 있게 하고 있었다.

어느덧 세월이 흘러감에 따라, 소녀와 소년은 어느덧 황혼의 소녀와 소년이 되어있었다. 그래도 투명하고 맑은 마음의 소유자로 살고 있었다. 오늘 밤도 산정마을 밤하늘에는 별빛은 빛나고 있었다. 그 별이 빛나는 밤, 소녀와 소년은 밤새는 줄 모르고 마음으로 대화를 나누고 있었다.

<부록> *발행한 책 목록*

 1, 마음과 자연과 사색에 대하여(수필) 2015,
2. 삶과 사색에 대하여 2015, 3. 사람 꽃 2016,
4. 길 위에서 사색 2016, 5. 사색 구름 위를 걷
다 2016, 6. 사색 피리 부는 달 2017, 7. 사색
솔바람 소리 2017, 8. 사색 하늘 나비 2017, 9.
사색 흐르는 별빛 2017, 10. 구름밭에 비를 심다
(상권) 2017, 11. 하늘 찻잔에 꽃잎 띄우고
2017, 12. 서쪽 하늘 낙엽 물들고 2017, 13. 어
망 속에는 별들이 가득하고 2018, 14. 하늘을 걷
는 나무 2018, 15. 사색으로 바라본 마음 이야기
2018, 16. 살아있다는 것만으로도 행복하다는 것
을 느낄 수 있다면 2018, 17. 화가 나면 참기보
다는 관찰하는 것이어야 2018, 18. 좋은 사람이
면 좋은 이름인데 2018, 19. 사색 바람결에 마음
말리고 2018, 20. 대화선 (소설) 1-3, 2018,

23. 구름밭에 비를 심다 (하권), 2019, 24. 대화선 4-6, (소설) 2020, 27. 철학 한담 2020, 28. 대화선 7, 2020, 29. 그대는 내 마음속의 우산 (시평), 2020, 30. 회색의 문 (소설), 2020, 31. 바다의 강 (소설), 32. 사색한담 1-2, 2021, 34. 지붕 위에 수탉(소설) 2021, 35. 사색한담, 2021, 36. 토말 기행 (소설), 2021, 37. 토말록 (土末錄) 1-9, 2022, 46. 그대는 내 마음속의 우산 (시평(詩評)) 2, 2023, 47. 위로가 필요한 그대 2023, 48. 오심(悟心) 1, 2023, 49. 오심 2, 2023, 50. 오심 3, 2023, 51, 중간자(中間子)(소설) 1, 2024, 52. 산정(山頂)에 피는 꽃, 2024,(소설)